英国演化生物学家、BBC（英国广播公司）科普节目主持人

BEN GARROD

给孩子的恐龙书

［英］本·加罗德 著　方琳浩 译

梁龙

中信出版集团·北京

图书在版编目（CIP）数据

梁龙 /（英）本·加罗德著；方琳浩译 . -- 北京：
中信出版社，2019.1
（给孩子的恐龙书）
书名原文：So You Think You Know About
DIPLODOCUS?
ISBN 978-7-5086-9758-1

Ⅰ.①梁… Ⅱ.①本… ②方… Ⅲ.①恐龙－少儿读
物 Ⅳ.① Q915.864-49

中国版本图书馆 CIP 数据核字 (2018) 第 258083 号

梁龙
（给孩子的恐龙书）

著　　者：[英]本·加罗德
译　　者：方琳浩
出版发行：中信出版集团股份有限公司
　　　　　（北京市朝阳区惠新东街甲 4 号富盛大厦 2 座　邮编　100029）
承　印　者：北京画中画印刷有限公司

开　　本：880mm×1230mm　1/32　　　印　　张：3.5　　字　　数：67 千字
版　　次：2019 年 1 月第 1 版　　　　　印　　次：2019 年 1 月第 1 次印刷
京权图字：01-2018-6995　　　　　　　广告经营许可证：京朝工商广字第 8087 号
书　　号：ISBN 978-7-5086-9758-1
定　　价：38.00 元　　　　　　　　　　版权所有·侵权必究
　　　　　　　　　　　　　　　　　　　如有印刷、装订问题，本公司负责调换。
出　　品：中信儿童书店　　　　　　　服务热线：400-600-8099
策　　划：中信出版·神奇时光　　　　投稿邮箱：author@citicpub.com
策划编辑：韩慧琴　谷红岩　　　　　　网上订购：zxcbs.tmall.com
责任编辑：韩慧琴　　　　　　　　　　官方微信：中信出版集团
装帧设计：灵思舞意　王　卓　　　　　官方网站：www.press.citic

感谢家里的宠物

帮助我学习很多自然知识

本·加罗德博士是一位特别的资深极客，在一周的时间里，我在电话上询问了他很多新奇的生物学问题，他每个都答得上来。阅读这本书的小读者能遇到这样一位好老师，真的是太幸运了。

科学渗透在我们的生活中。所有事物的运转都离不开科学，那些杰出的科学家和技术员是世界上最厉害的人。

序

史蒂夫·巴克肖博士

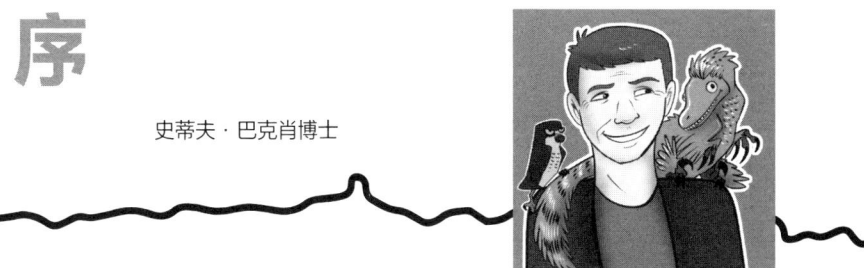

研究古生物和恐龙不仅仅是发掘地下的化石，它还能帮助我们了解地球，认识很久以前生活在地球上的各种生物。本·加罗德博士将还原各种生物，带你穿越，让你能够见到过去，看到未来。变聪明是一件好事情，小读者们要热爱自己心中那个极客，探索这个有趣而复杂的世界。

让我们开始极客之旅吧！

自序

Hey Guys

你是否还记得自己特别喜欢一个东西，却忘记了是何时开始喜欢上它的？这就和我喜欢上科学一样。现在的我是个研究动物的科学家，还经常去做一些电视节目，但是我依然记得我是什么时候开始爱上科学的。当时只有三岁的我，和祖父祖母待在一起。我的祖父乔治常常带我到海滩上散步，去看贝壳和海里面的其他各种东西。我记得有一回，我们刚刚到家，就下起了大雨，外面花园里的小路上出现了很多蚯蚓。因为之前没有下雨的时候我从来没有见过它们，我就问祖父它们是从哪里来的。祖父告诉我它们来自月球，我当时信以为真，还非常好奇它们是怎么到达这里的，等不下雨时，它们

又将怎么离开，它们的嘴巴那么小，能吃些什么。

我想说的是，不管你年龄多小，有没有基础知识，都可以热爱科学。研究科学是很酷的事情，因为你可以不断地提出新问题，探索新的材料，进一步提出更多新的问题。如果你阅读这本书时热爱上了恐龙，这也许就是你成为古生物学家的开端，或者是一名医生、天文学家，甚至是研究鲨鱼的专家。

那天对"月球蚯蚓"感兴趣是我变成科学家的开端。而对于你而言，吸引你的也许就是在散步的时候找到的一些化石，也许是看你的宠物做一些奇怪的事情，或者是看一场流星雨，就是这么简单。接着，继续保持兴趣，坚持读有关科学的书刊，或者搜集标本，或者到户外探索，相信我，你会越来越有兴趣。

多小的孩子都可以开始热爱科学。我五岁的时候就自己建了一个"小小动物园"，里面有蜘蛛、蜈蚣、鼠妇，甚至还有暴脾气"恶魔天牛"，它有着恐怖分裂的颌。我饲养着它们，每天写日记记录它们，最后小心翼翼地将它们放回大自然。但是对于小小的我来说，它们就像老虎、野狼、眼镜蛇一样让人兴奋。我十岁的时候，老师有一次在课堂上展示一个猫头鹰催吐出来的消化不了的东西，它是一个颗粒状唾余。我们看到里面有一些骨头、毛发，于是知道了鸟类平时吃哪些食物。如果你热爱科学，并且觉得科学很有意思，恭喜你小朋友，你就是个小小科学家了。科学家可不是要到 90 岁才能当的哟！

现在我已经是一个真正的科学家了，这个感觉超级棒！我的工作很酷，而且让我很开心。我在非洲观察野生黑猩猩，去马达加斯加观察珊瑚礁，到北极的萨尔瓦巴特群岛研究海象，去印度尼西亚帮助拯救苏门答腊红猩猩，到加勒比海去研究猴子。在阿根廷，我看着挖掘队伍发现了巨大的恐龙化石，也看到科学家们钻探到毁灭恐龙的陨石。每天早晨起来，我都期待着新的奇遇。

我长大后依然对科学有各种疑惑。我写的这套"给孩子的恐龙书"讲了大家最为熟知的几种恐龙，也讲了一些稀有的物种。通过最先进、最有趣的科学技术揭秘你们最喜欢的恐龙是如何吃饱喝足以后蹦蹦跳跳，如何在黑暗中捕捉猎物，以及为什么一些掠食者变成了植食性恐龙。神奇的发现会让我们知道恐龙长什么样子，它们的颜色如何，它们的声音是什么样的。你是一名小科学家，所以我会把当今科学前沿的最新动态都告诉你，我们会解释一些比较难的观点，这会用到一些专业的术语，但是我觉得你们完全可以应对。

那么，让我们看看恐龙时代的生活是什么样的吧！

一起成为一名极客吧！

本·加罗德

目录

第一章

初识恐龙

什么是恐龙

现在想象一下你和老师有一场对话。可能他对恐龙已经很了解，但也许并没有比你了解得更多。

说出五种恐龙。

暴龙。

嗯。

三角龙。

对。

知更鸟。

很好。哦等一下，那是鸟类，可不是恐龙啊，小糊涂！

不，实际上，它就是一种恐龙。

怎么可能，今天早晨在我花园的
喂鸟器里还有一只知更鸟呢。

酷，但它真的是恐龙。

但是它们那么小巧可爱，甚至连
圣诞贺卡上都是这些温顺的小鸟。

呃……

知更鸟不可能是恐龙的，就是鸟类。

其实所有的鸟类都是恐龙。知更鸟、猫头
鹰、海鸥、老鹰甚至蜂鸟都是恐龙。

什么？我被搞晕了。

看来老师您得了解一下最新的关于
恐龙的认知了呀。

3

大多数人早已知道鸟类其实也是一种恐龙，它们不是"长得像"恐龙，也不是跟恐龙"差不多"，它们就是活生生的恐龙。你也许也有过类似上面的对话，有些人根本不相信你所说的。不信，你现在就找一个大人，对他说鸟类就是恐龙，看看他怎么回答。

让我们来简略地看一下，为什么我们可以这么确信地说 6600 万年以前，不是所有的恐龙都灭绝了。等下次再有海鸥来偷偷吃你的面包，或者一只可爱的小鸟飞到你的窗前时，你就与一只活生生的恐龙不期而遇了。

首先，我们把术语弄明白：我们把鸟类当作"会飞的恐龙"（不是指翼龙，翼龙和恐龙是两类动物），而远古灭绝的恐龙是"不会飞的恐龙"。所以我们所说的 6600 万年前恐龙大灭绝，实际上也没全灭绝。

如果你打开窗户望向窗外，很有可能能看到一只鸟。现在大约有1万种鸟类生活在地球上。我们认为鸟类是由驰龙这种恐龙进化而来的。显然，两者看起来相去甚远，但是1.5亿年过去了，当然会发生特别多的改变。

说鸟类是恐龙，听起来比较奇怪和稀罕，但是这个观点早就不是什么最新的科学见解了，早在19世纪就提出来了，甚至比你父母出生还要早。达尔文还写了文章，描述鸟类和典型恐龙的相似之处。如所有的科学研究一样，对于鸟类就是恐龙的说法，开始也经过了很大的争论，到现在我们才有足够的证据来证明这种观点是正确的。

就在达尔文发表了他的著作《物种起源》不久，第一个始祖鸟化石就在德国被发现了。它有着鸟类的骨骼以及和鸟类羽毛相似的遗迹化石。科学家们因此将它归为鸟类的近亲，是所有鸟类共同的祖祖祖祖祖祖祖祖……母。但事实上，这也不全对。始祖鸟确实是早期的鸟类，但是却不是第一只鸟，因为我们还发现了比它更早的鸟类祖先化石，它们出现在"会飞的恐龙"从恐龙家族中分离出来之后，比如曙光鸟和近鸟龙。

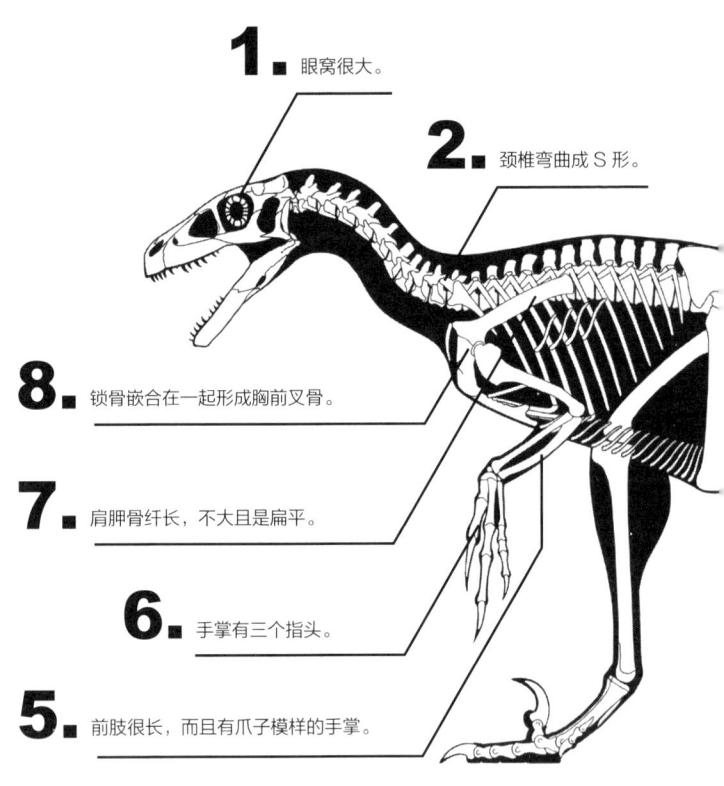

1. 眼窝很大。

2. 颈椎弯曲成 S 形。

8. 锁骨嵌合在一起形成胸前叉骨。

7. 肩胛骨纤长，不大且是扁平。

6. 手掌有三个指头。

5. 前肢很长，而且有爪子模样的手掌。

如果你想知道恐龙和鸟类始祖的相似之处，最简单的方法就是看它们的骨骼化石。羽毛只是偶尔会在化石上留下痕迹，骨骼却是最好的化石证据。下面就为你展示一些像始祖鸟这样的早期鸟类和它的恐龙近亲驰龙的骨骼化石的共同之处。

3. 位于腰带骨底部中央的耻骨与其他动物不同，是向后而不是向前生长的，看起来有点像只小靴子。

4. 脚踝和脚趾间的骨头（跖骨）头长且向外伸出。

早期鸟类与不会飞翔的恐龙近亲有着相似的薄板型中空骨骼。

此外，它们的心脏结构、脑部结构、肌肉结构、表层鳞片以及产卵方式都极其相似，甚至它们在显微镜下的蛋壳结构都非常相似。

它们之间最大的不同就是鸟类会飞，而且是恒温动物。当然还有其他不同，但都是细节上的差异。总之鸟类和不会飞的恐龙是非常非常相似的。

似乎很难相信鸟类和不会飞的恐龙有什么相似的地方。鸽子怎么可能是伶盗龙的后代？是的，时间长了，沧海也能变成桑田。

比如说传话，第一个人说的话一个个传下去，最后一个人听到的也许与原话相去甚远。大自然也是一样，经过几百年的演化，一个细小的改变可能就会诞生一个新物种。就像手盗龙最后进化成了火烈鸟。传话很好地解释了进化论。你也可以认为火烈鸟是从暴龙进化来的，也可以认为二者都是恐龙。

　　我们从恐龙的骨骼化石中学到了很多，但是骨骼并不能全部变成化石。因为骨骼是由钙质等矿物质以及诸如胶质的生物成分组成的。下次你吃完排骨后，拿一根骨头在陈醋里放一天，你会发现矿物质消失不见了，只剩下胶质了，这时候的骨头变软了，甚至能掰弯。

这就是恐龙

鸟类真的是恐龙吗？为什么梁龙、暴龙、窃蛋龙、槽齿龙都是恐龙，但是翼龙却不是呢？生活在海里的上龙和海里的爬行动物是恐龙吗？为什么鸡是恐龙却不是哺乳动物？想要回答这些问题，我们首先要弄明白到底什么是恐龙。

恐龙的定义是全世界都在争论的话题。因为恐龙的种类实在是太多了，小的恐龙可以站在你的手上，大的恐龙可以一脚踩碎你的房子，有些恐龙会滑翔，有些恐龙会游泳，有些恐龙奔跑很快，有些恐龙吃肉，有些恐龙吃植物。恐龙的种类数不胜数，实在太难准确定义了。

你自己试试，水果和蔬菜之间有什么区别？简单吧！但是想到番茄的时候呢？犯迷糊了吧！

科学家们要判断他们找到的化石是不是恐龙有很多标准，有些看起来无关紧要，但是有一些是非常重要的。如果某动物的化石能满足以下这些判断标准，那就百分之百是一块恐龙化石了。

恐龙图鉴

下面的一些显著特征只能在恐龙化石中出现，只有知道这些特殊标记，才能认出恐龙的化石。下回再去博物馆的时候仔细观察恐龙骨骼化石，然后再多观察一下鳄鱼或者鸟类的骨骼，你能在它们身上找到下面的标志吗？

 a 恐龙是双孔亚纲。如果你有自己头骨的 X 光扫描图像，你会发现每只眼睛后面有一个深深的颞孔。也就是说，人类作为一种哺乳动物是单孔亚纲。而恐龙作为双孔亚纲在眼睛后方有两个颞孔。

b 在眼窝之后的两个洞（上下颞孔）之间，有一个深凹，称之为颞上凹。

c 在前肢上部的肱骨边缘有一块隆起，用来附着巨大的肌肉组织。这块隆起约占恐龙肱骨长度的 30%。

d 几乎所有恐龙的前肢都十分短小。恐龙的尺骨要比肱骨短20% 左右。

h

g

e 胫骨突出并向外生长。

f 在小腿腓骨和脚踝连接处，有一个大型的距骨凹。

g 恐龙的腿是垂直于身体的。看看周围的人，人们的腿都是直立着的，而不是像螃蟹腿一样从身体两侧伸出。恐龙和我们一样，也是直立的形态，和那些腿部从两侧伸出的爬行动物相去甚远。

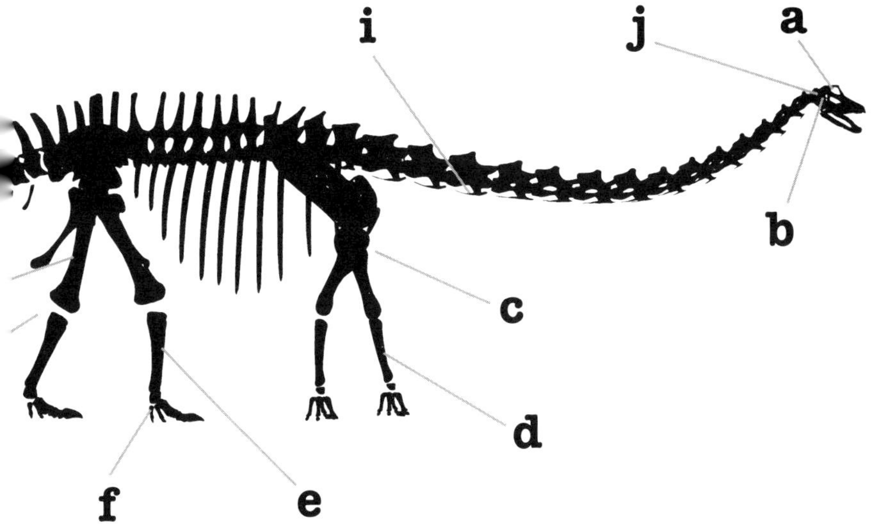

h 股骨上的隆起（第四转子）巨大而且棱角分明，能够让肌肉附着。

i 大多数恐龙的颈椎骨还有额外的突出，仿佛每个骨节都长了小小的翅膀。这个突出的小块学名叫作上突。

j 头后的骨骼并未在中部愈合。

第二章

探索恐龙

梁龙

如果你让一个人说出三种或四种恐龙的名字,他们几乎都会说到梁龙,它可谓最广为人知的恐龙之一。我们一提到恐龙,首先想到的要么就是两足食肉恐龙,比如暴龙;或者四足恐龙,比如有着长长的脖子和尾巴、巨大身体的梁龙。向周围的人提问吧,看看他们最先想到的是哪种恐龙。

梁龙(*Diplodocus*)的名字确实有点奇怪,Diplodocus 来源于拉丁文,由两个希腊语单词构成,"diplo"是"两个"的意思,"dokus"

则意为"横梁"。"横梁"到底是什么意思？梁龙的两个横梁在哪里呢？
在梁龙尾巴的下部有大量的人字形骨，人字形骨类似于晾衣架，使骨头
更为稳固。正是由于这个特点，古生物学家才得以识别梁龙这个属种。
一开始，科学家认为只有梁龙拥有这种骨骼结构，但是后来在其他恐龙
种属中也发现了这种结构。

梁龙是塞缪尔·威利斯顿在 1877 年首先发现的。他是一名古生物
学家（也研究果蝇）。在发现梁龙的同时，他还找到了第一只异特龙。
你难以想象他一个人居然发现了两种恐龙。

大家总是以为科学家和专家说的就一定
对，但实际上他们也会犯错。最开始关于梁龙
的认知是有偏差的。第一只被发现的梁龙的学
名是"长梁龙"，但是现在，科学家只能识
别出两个有效种：卡内基梁龙和哈氏梁龙。长
梁龙实际上是不存在的，因为仅仅找到了一些
尾椎骨的化石是不足以作为证据证明这种物种
可以单独分类的。这就好似仅仅通过几个单词
就要猜出来一首歌的名字。没有足够的骨骼化
石是无法了解一只完整的恐龙的。

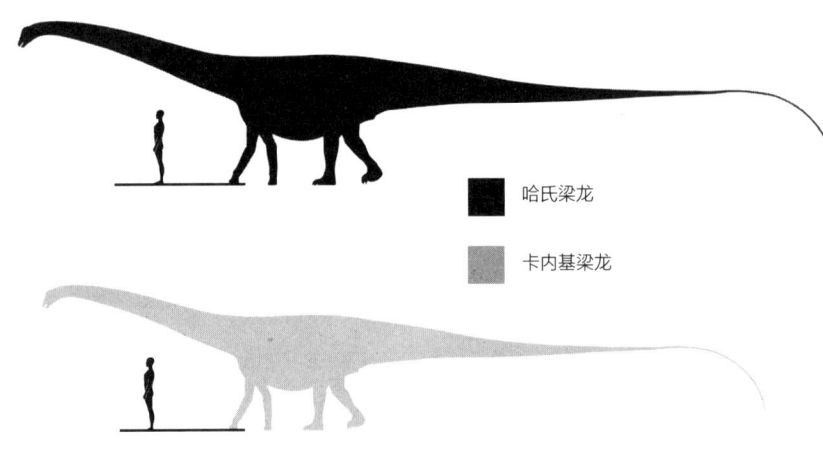

哈氏梁龙

卡内基梁龙

虽然梁龙不是蜥脚类恐龙中体形最大的，但它们还是相当庞大的，在"最大的恐龙"中可以排入前几名了。比如卡内基梁龙重达 10 ~ 16 吨，长达 25 米，和蓝鲸的体长相当，而哈氏梁龙更长，达到了 32 米，足足有四辆双层巴士长。

在恐龙骨骼化石中，最重要的就是头骨，它可以告诉我们很多关于种属和物种特征的信息。我们能从头骨中知道，这种生物是通过什么方式看、听、嗅的，还能知道它们的饮食习惯。但是最大的问题就在于我们目前还没有找到过梁龙的头骨化石。梁龙其他部位的化石太常见了，可是唯独没有头骨化石。因为完整的头骨化石是由众多细小的骨头组成的，动物死亡后，要么头会因从身体上掉下来而失踪，要么很容易损坏。也许有一天会有一个幸运儿发现完整的梁龙头骨。

恐龙家族树

如果你继续探索梁龙的两个有效种，会发现它们并不是生活在同一个时期。不同的物种经过长时间的进化，会逐渐产生差异。梁龙也是这样，也就是说它们在家族树中有很多近亲。蜥脚类恐龙首先出现在三叠纪晚期到侏罗纪晚期这 1.5 亿年期间，它们在地球上都生活得很好，尤其是腕龙、梁龙以及它们的近亲。

蜥脚类恐龙的化石遍布全球的大陆，甚至在北极地区也发现了它们的化石。蜥脚类恐龙一直存活到 6600 万年以前，小行星撞击地球的时候才灭绝。在整个蜥脚类恐龙存活期间的后半段时间里，像腕龙、梁龙这样的恐龙几乎已经灭绝了，取而代之的是巨龙这种体形极其庞大的蜥脚类恐龙。

很容易想到的是，蜥脚类恐龙看起来不像拥有巨大爪子和锋利牙齿的兽脚类恐龙那样惊悚，也不像身披盔甲的三角龙那样威武。

那蜥脚类恐龙是不是就像史前的巨牛一样，整天悠闲地走在路上，吃着树叶？其实也不全然。对梁龙的研究让我们知道，它们是一种高度社会性的群居动物。它们身体中一些巧妙的结构让它们成为陆地上最大

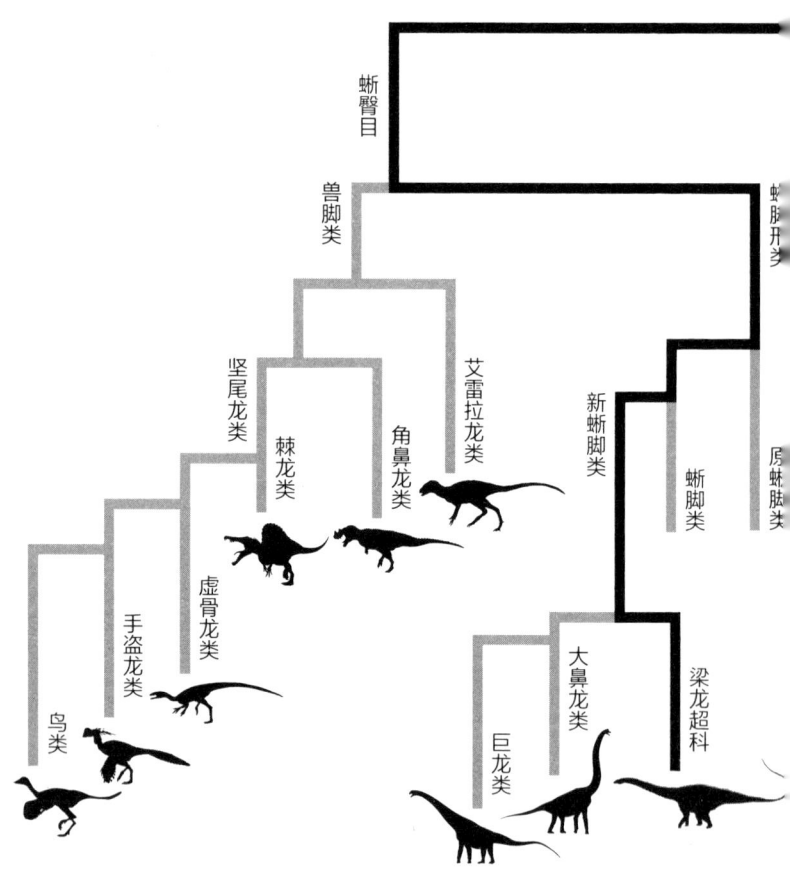

的爬行动物。这种食物收割机身披骨质的棘、尖刺和骨板。蜥脚类恐龙是非常吸引我的，而梁龙又是其中最炫酷的恐龙之一。

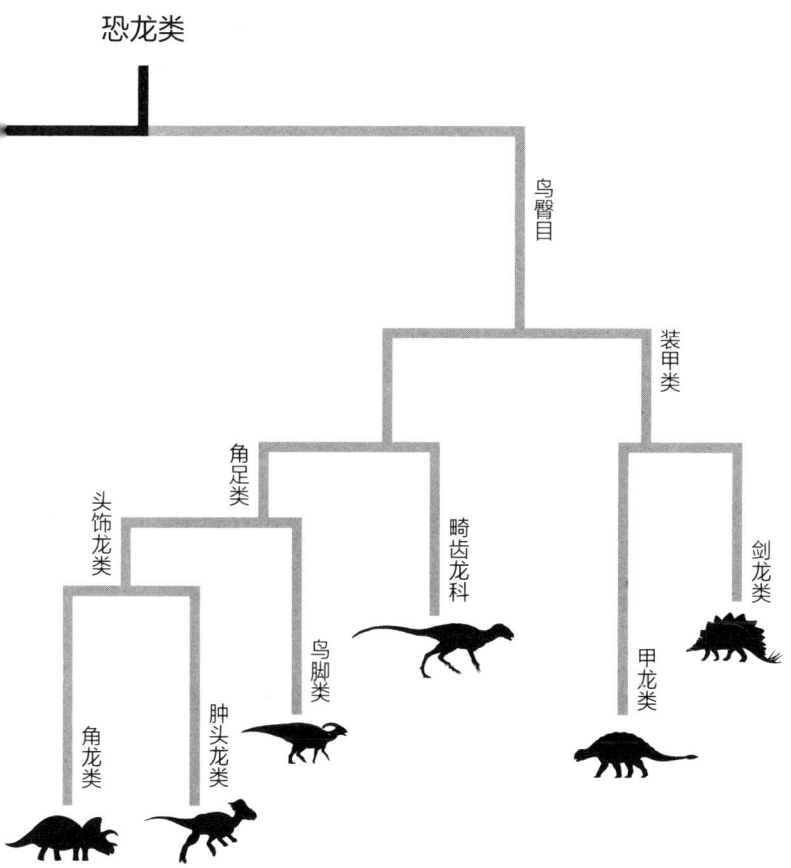

恐龙类

鸟臀目

装甲类

角足类

头饰龙类

畸齿龙科

剑龙类

鸟脚类

甲龙类

角龙类

肿头龙类

梁龙科

不算鸟类的话，至今我们发现的恐龙有上千种。现存的鸟类有上万种，所以还有可能发现更多的恐龙。在恐龙分类的问题上，科学界一直有分歧。但是大多数科学家还是同意将恐龙分为两大类：鸟臀目恐龙和蜥臀目恐龙。

当你看上页"恐龙类"这个图时，第一个奇怪的地方就是你会感觉蜥脚类恐龙和两足兽脚类恐龙（比如暴龙）以及鸟类关系更近，却和剑龙等装甲类以及三角龙等角龙类恐龙相去甚远。也许这种分类法很快就会被其他方法取代，但是本书还是会沿用这种分类法。

在恐龙家族的分支中，除了蜥脚类恐龙，还包括后来进化成蜥脚类恐龙的蜥脚形类、大型蜥脚类以及巨龙类恐龙。

在蜥脚类恐龙家族树的最末节，有一个小组群，就是梁龙亚科。其中有九个或者十个种属，但是都有着共同的基本体形：像拉伸加长版蜥脚类恐龙。它们没有腕龙那么高，也不像巨龙那样大。我们说梁龙的时候感觉它们是一个单一种属，但实际上它包含两个有效种：卡内基梁龙和哈氏梁龙。

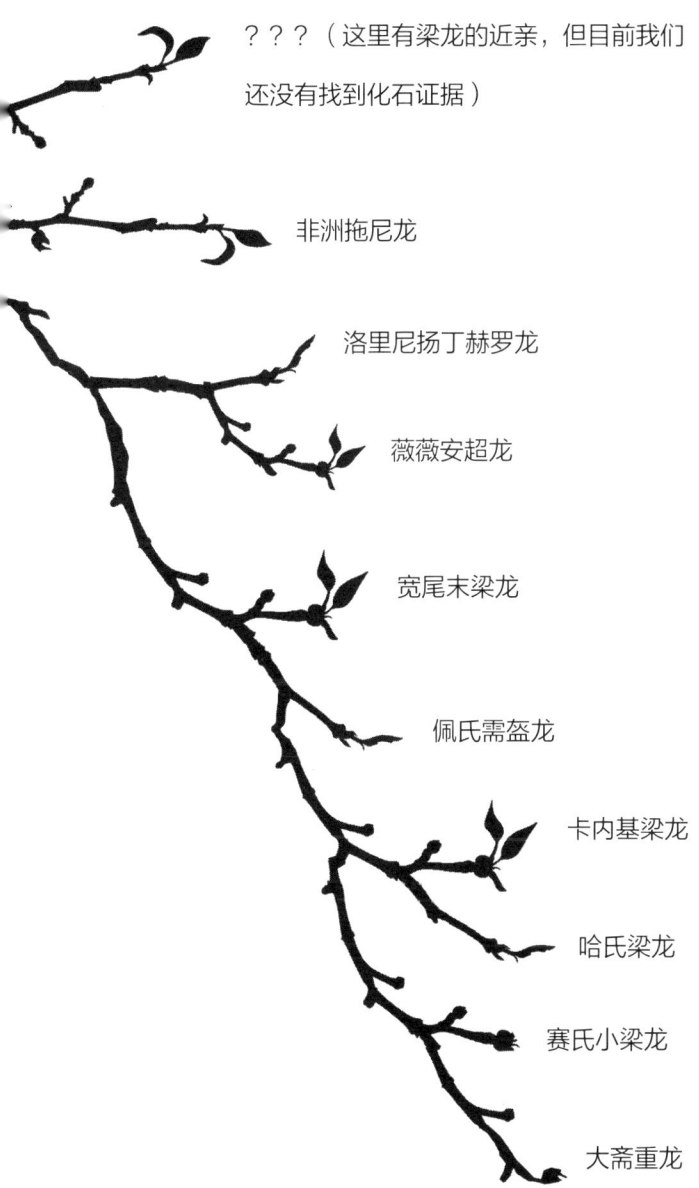

？？？（这里有梁龙的近亲，但目前我们还没有找到化石证据）

非洲拖尼龙

洛里尼扬丁赫罗龙

薇薇安超龙

宽尾末梁龙

佩氏需盔龙

卡内基梁龙

哈氏梁龙

赛氏小梁龙

大斋重龙

卡内基梁龙

它是梁龙两个种属中更广为人知的一种，同时也是世界上最长的恐龙之一，长达 25 米，是一种中等体形蜥脚类恐龙，体重 14~16 吨。1899 年在美国发掘了一具几乎完整的卡内基梁龙骨骼化石。这个化石的复制品已经被世界各地的博物馆收藏，譬如美国的卡内基自然历史博物馆、英国伦敦自然历史博物馆、西班牙马德里自然科学博物馆，德国弗兰克的沙根堡博物馆。大家亲切地称这些石膏样本"大梁"。

哈氏梁龙

有科学家推测这种比卡内基梁龙还要庞大的恐龙最长能达到 52 米，但是感觉有点过于夸张了。目前大家认为它们有 32 米长。有趣的是，在这种恐龙刚刚发掘出来的时候，科学家们认为它比卡内基梁龙大 1.5 倍，而且与卡内基梁龙的外形也相差很大，并且取名地震龙，意思是"使

大地震动的蜥蜴"。但是等到化石被清洁以及整理后，大家才发现其实没有想象中那么庞大。后来地震龙这个称号逐渐从书本中消失，而哈氏梁龙的称谓于 1991 年被世界所知。

梁龙的近亲

薇薇安超龙——巨大的蜥蜴

薇薇安超龙这种蜥脚类恐龙生活在距今 1.5 亿年前，它们的化石最早在美国科罗拉多州被发现。后于 1972 年，又在葡萄牙发现它们的化石。

因为发现大量的梁龙类恐龙化石，所以对于薇薇安超龙的分类方法颇有争议。最开始它被放入到重龙家族中，一种与梁龙非常相似的恐龙。

之后发生了变化，大家认为它们和迷惑龙更相似。最终科学家又认为它们还是和重龙更相似，并且是梁龙的近亲。

哈氏需盔龙——戴头盔的恐龙

它们的头骨十分纤薄脆弱，科学家们开玩笑称它们得戴个头盔保护脑袋。哈氏需盔龙距今已有 1.5 亿年，化石是在美国科罗拉多州和怀俄明州发现的。与其他蜥脚类恐龙不同，它们的头骨化石的整体性很好，因为我们发现了一具相对完整的戴头盔恐龙的骨骼化石。

2 米

小测试

你真的了解梁龙吗?

· 最大的梁龙有多长?

· 梁龙吃什么?

· 第一个梁龙化石什么时候被发现的?

· 哈氏梁龙最初叫什么?

(答案见本书第 90 页)

第三章

揭秘恐龙

何时何地

恐龙生活的年代可以分为三个时期，分别是三叠纪、侏罗纪和白垩纪。梁龙生活在侏罗纪末期。在三叠纪末期发生过一次生物大灭绝，这个时期的恐龙比白垩纪的要幸运，它们存活了下来。也就是说进入侏罗纪时期，恐龙有足够的空间进化新物种，在短短的几千万年里，就产生了大量形态和大小各异的恐龙种类。

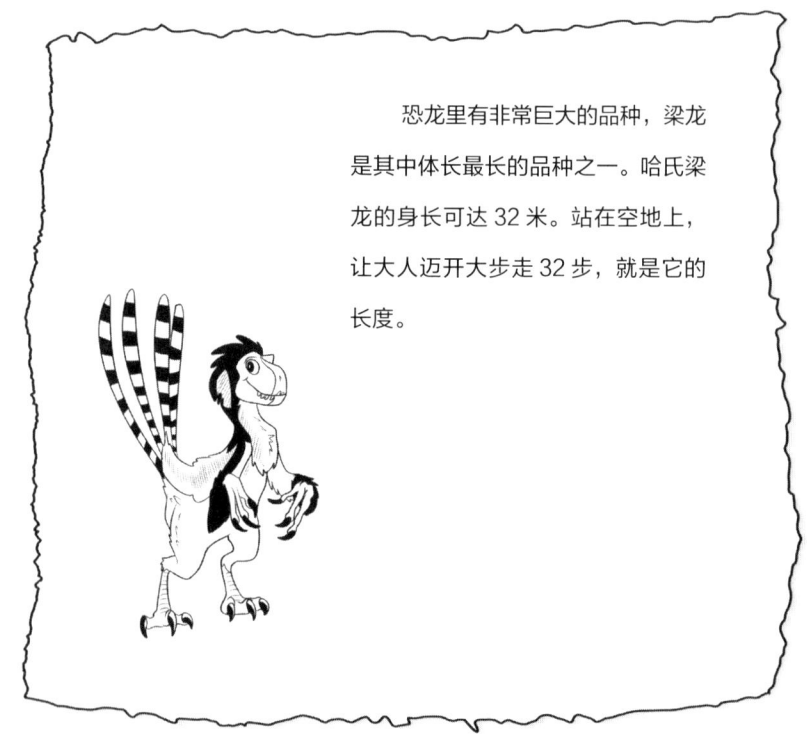

恐龙里有非常巨大的品种，梁龙是其中体长最长的品种之一。哈氏梁龙的身长可达 32 米。站在空地上，让大人迈开大步走 32 步，就是它的长度。

　　侏罗纪时期的蜥脚类恐龙就繁衍得非常好，它有很多种属，但是梁龙是那个时期最常见的且体形庞大的恐龙。侏罗纪持续了 5630 万年，从 2.013 亿年前开始到 1.45 亿年前结束。梁龙作为最著名的蜥脚类恐龙之一，生活在侏罗纪晚期，大约从 1.557 亿年前到 1.508 亿年前。

　　在恐龙时代早期，地球上的大陆是连在一起的，形成一个叫作泛大陆的巨大超大陆。但是到了侏罗纪时期，泛大陆分裂成为两部分，北半球的叫作劳亚古陆，南半球的叫作冈瓦纳古陆。梁龙的化石仅仅在美国的科罗拉多州、蒙大拿州和怀俄明三州被发现。

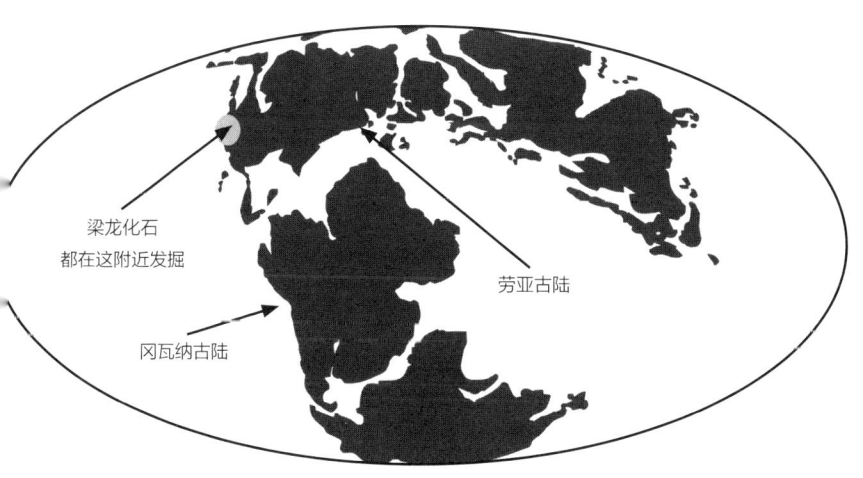

侏罗纪末期的世界地图

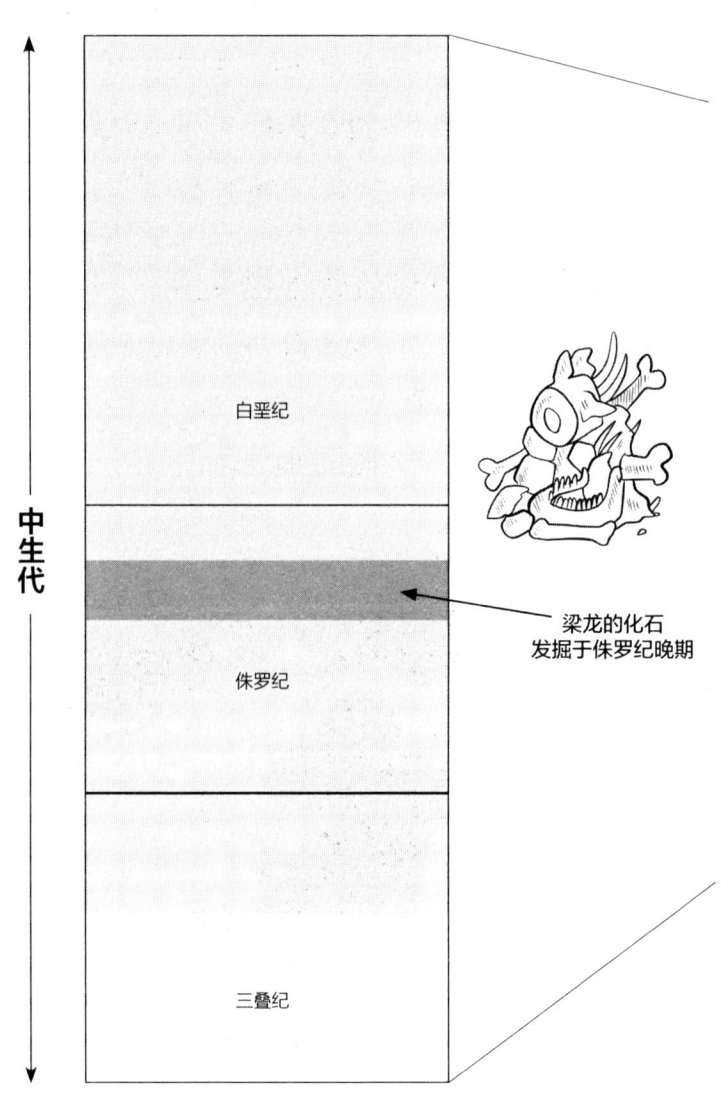

白垩纪

中生代

梁龙的化石
发掘于侏罗纪晚期

侏罗纪

三叠纪

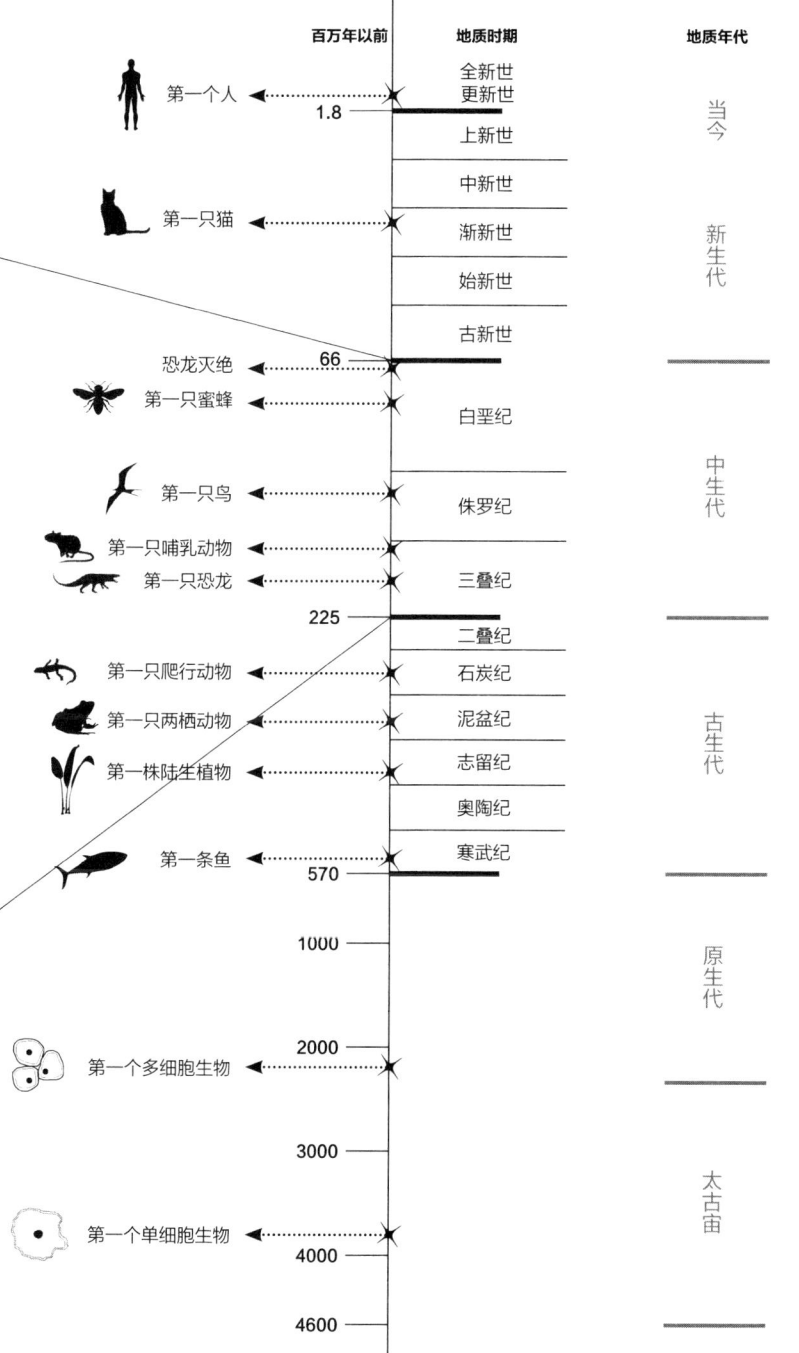

百万年以前	地质时期	地质年代
	全新世	
第一个人 ◄······✕	更新世	
1.8	上新世	当今
	中新世	
第一只猫 ◄······✕	渐新世	新生代
	始新世	
	古新世	
恐龙灭绝 ◄······ 66		
第一只蜜蜂 ◄······✕	白垩纪	
第一只鸟 ◄······✕	侏罗纪	中生代
第一只哺乳动物 ◄······✕		
第一只恐龙 ◄······✕	三叠纪	
225	二叠纪	
第一只爬行动物 ◄······✕	石炭纪	
第一只两栖动物 ◄······✕	泥盆纪	古生代
第一株陆生植物 ◄······✕	志留纪	
	奥陶纪	
第一条鱼 ◄······ 570	寒武纪	
1000		原生代
2000		
第一个多细胞生物 ◄······✕		
3000		太古宙
第一个单细胞生物 ◄······✕		
4000		
4600		

33

问问专家：
雷龙可以坐到
我的腿上吗？

从业余化石搜集者，到世界著名的科学家，

很多人都从事与恐龙相关的工作，

有的人去埋藏地挖掘化石，有的人在实验室做研究，

有的人像创作艺术品一般拼接恐龙的化石。

肯尼斯·拉科瓦拉教授

古生物学家

美国罗文大学艾德门化石公园

肯尼斯·拉科瓦拉教授在罗文大学的艾德门化石公园工作，

他发掘了生活在地球上的几种体形最大的恐龙的化石，

包括极其巨大的无畏龙。

我们问了肯尼斯教授一些问题：

雷龙能坐在我们腿上但不把我们压死吗？

能把雷龙塞进书包里吗？

暴龙能塞到抽屉里吗？

他的回答如下：

当然了！这听起来也许很疯狂，但是真的是这样。如果你想想正在孵化的雷龙，就知道雷龙坐在我们身上是压不死我们的。和它们巨大的恐龙父母相比，恐龙宝宝是非常小的。成年后的卡内基梁龙颈部和尾部都特别长，可以达到三辆双层汽车首尾相接那么长，重达 15 吨。但是如此巨大的恐龙却要孵化比鸵鸟蛋大不了多少的恐龙蛋。

目前还不知道恐龙妈妈是否要筑巢，即使有巢，在野外的恐龙蛋依然时刻受到威胁。很多饥饿的掠食者都觊觎恐龙蛋作为自己的美餐。糟糕的是，恐龙胚胎需要很长时间才能孵化。研究表明，孵化恐龙蛋需要八十多天，因此像梁龙这样的大型恐龙就进化出了应对的方法来降低风险：它们的蛋相对更小，更集中一些，而不是分散在各个地方。而刚出生的恐龙宝宝和猫差不多大。

虽然没有找到每种恐龙的蛋，但是科学家们认为所有恐龙出生的时候体形都非常小。胚胎化石以及蛋的化石都显示出幼年的恐龙和成年恐龙体形相去甚远。我在南美洲发现的庞然大物无畏龙重达60吨，而它的宝宝是放在我们腿上的最佳之选，时间可持续1~2周。因为恐龙宝宝生长迅速，像现在的白鲸一样，没过多久就比你还重了，且会向着13头大象的体重发展！

现在的大型哺乳动物都是以胎生的方式繁衍后代，因此它们倾注了很多精力和关爱。人类的宝宝体重相对较大，平均重3.5千克，是成人体重的1/22左右。大象宝宝重达90千克，新生长颈鹿重达102千克，是成年长颈鹿体重的1/10。虎鲸宝宝的体重达到惊人的160千克，但这与蓝鲸宝宝比起来微不足道。蓝鲸一出生就有一头成年河马重，等它们成年后，就成了现在世界上最大的动物。

　　陆地上的大型哺乳动物和大型恐龙相比还是不值一提。像无畏龙这样的庞然大物到底有多大，你尽管想象，但是你要知道，当它们还是恐龙宝宝的时候，个头也很小，小个头做些小个头的事情，吃一些矮小的草本植物。然后慢慢地像羊、像牛、像大象一样大，最后变成与几只大象一样重的庞然大物。这也许就是它们进化成功的秘诀之一吧。恐龙作为单一种属，可以从广袤的大地上汲取能量，又能确保将种属内部的竞争降到最低，而不像现在的多物种一样要共享生态资源。

　　那么，君王暴龙和你的宠物狗，哪个更重？
答案是这取决于君王暴龙的年龄。

第四章

探究恐龙

梁龙的解剖结构

梁龙的骨骼

从某种角度来看，梁龙这种蜥脚类恐龙和大象倒是有几分相似，但是在某些方面，又相去甚远。它们确实很大，也是植食性动物，我们姑且认为它们也是群居动物，但是蜥脚类恐龙与大型哺乳动物有着巨大的差异。很多蜥脚类恐龙有骨棘，有的脊背上披着骨质甲片，还有一些拥有奇特的头盾，当然最大的特点还是它们的体形极其庞大，即使大象在它们面前，也显得渺小无比。像梁龙这样的蜥脚类恐龙的解剖结构是非常巧妙的，足以撑起它们庞大的身躯。

头骨

梁龙

暴龙

梁龙也许是史前巨龙，但是它并不需要个大脑袋。与君王暴龙这类恐龙相比，它们的头骨占身体的比例可谓是很小了。它们的牙齿比较少，而且都很小，只能把树叶剥离，而没有坚固的牙齿咀嚼食物。

梁龙头骨的模型已经被用于研究它们生物力学应力的形成，这听起来很复杂，但实际上并不复杂。这种压力可不是你认为的那种要完成家庭作业、吃不到最喜欢的零食的压力，而是指物体受力的状况。当你站立的时候，压力分布于整个脚掌，但是当你踮起脚尖的时候，压力就全部集中在了脚趾上。你感觉到的不同，就是所谓的生物力学应力。科学家们对梁龙的进食习惯进行了很多测试去寻找生物力学应力的来源。当梁龙咀嚼树皮时，颅腔将承受巨大的压力，当剥离树叶时，却承受很小的压力。

为了更好地理解梁龙头部很小的原因，我们自己先做个力学试验吧。把胳膊伸直，假想这就是梁龙的脖子，手就是梁龙的头。

首先用手掌一个杏瓜，或者掌一大罐罐头试试，记一下时间，看看自己拿多长时间以后胳膊就酸了。休息一会儿，再拿一个苹果或者小的罐头，看看这次能坚持多久。由此可见，轻盈的头部会大大减少颈部骨骼和肌肉的压力。

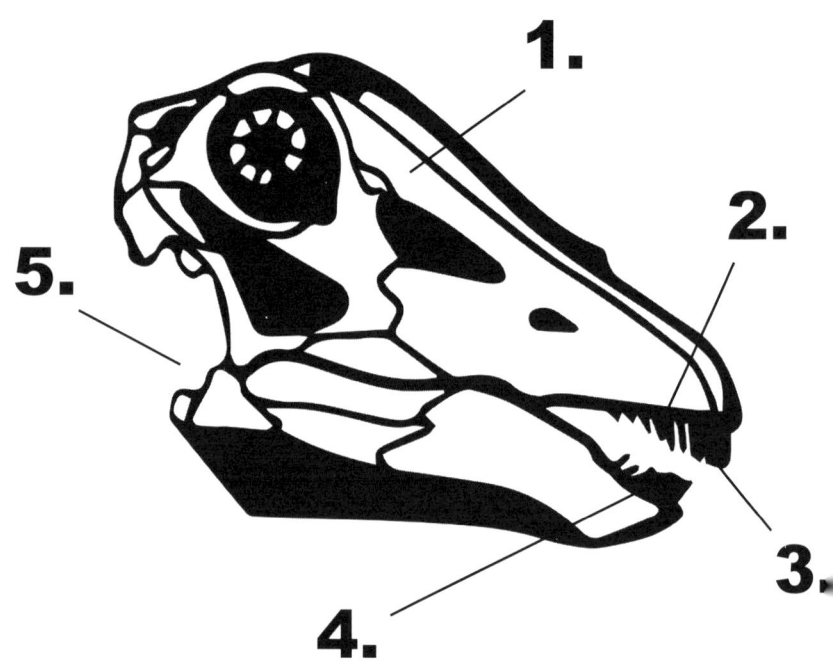

1.

2.

5.

3.

4.

1. 眶前骨位于眼睛前方，向前伸展，使得头骨变得更长，这样梁龙可以吃到更远的树枝，每一口容纳的树叶量会更多。

2. 与其他蜥脚类恐龙相比，梁龙的牙齿非常特殊。它们的牙齿又细又长，排列杂乱。牙齿的形状不是圆形，也不是方形，而是修长的椭圆形，在牙齿末端呈钝角三角形。

3. 因为牙齿的功能非常单一，几乎不需要咀嚼，导致它们的牙齿形状几乎完全一样。

4. 梁龙只有口腔前部有牙齿，可以用来食取特殊的枝叶。梁龙的牙齿在某些方面和鲨鱼有些相似，就是在它们的有生之年经常性地换牙齿，不到 35 天就会更换一次。

5. 你动动自己的嘴巴，会发现吃东西时是上下左右移动，而不是前后移动，但是梁龙却可以前后移动，这使得梁龙能完成两个特殊动作，一个是嘴巴可以张开很大，吞食更多食物；另一个就是可以更好地适应牙齿的排列，更精准地食取树叶。

当你吃早餐的时候，不同的牙齿有着不同的功能。锋利的牙可以将食物切成小的碎片，面颊齿（臼齿和前臼齿）则负责有力地咀嚼，是不是很简单！但是蜥脚类恐龙无法咀嚼，它们没有大的平整的臼齿，甚至都没有面颊。它们只有在上下颌上才有牙齿，就好像上下颌长了一排手指，每一颗都又细又长，方便它们食取枝叶和各种植物。

不同的蜥脚类恐龙的牙齿形状各有差异，因为它们所吃的食物是不一样的。尤其是梁龙的饮食方式和其他恐龙大不相同。我们认为，梁龙其中的一套牙齿像一个耙犁一样，主要将柔软的树叶拉取下来，而另一套牙齿则负责固定住这些树叶。

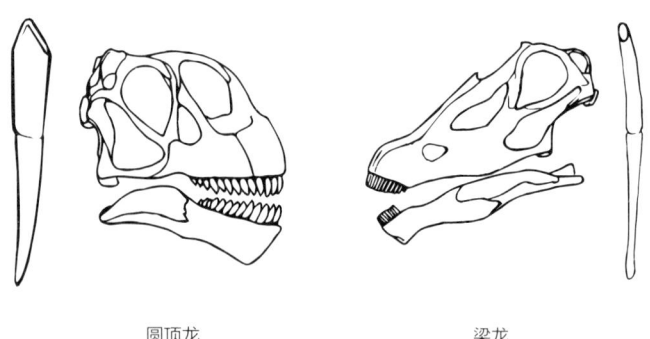

圆顶龙   梁龙

骨架

古生物学家研究史前生物的一个重大问题就是如何想象一种从来没有人见过的生物。没有它们生活时期的任何照片和影片，因此科学家们有时会推测错误。开始的时候，大家认为梁龙实在太大了，所以只能生活在水中，整个身体待在河水或者湖水中，仅仅把头和尾巴露出来。后来科学家们又认为它们把头露出水面，而尾巴则拖在地上。当然，我们现在知道梁龙是以颈部和尾部几乎水平的姿势走在陆地上，四肢则近乎直立地支撑自己的重量。

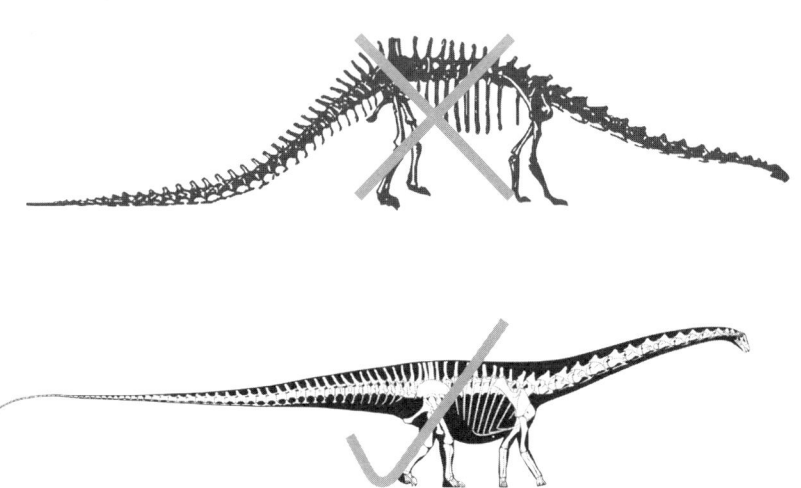

2. 梁龙的椎骨十分脆弱

1. 梁龙有着超长的尾巴，
约有 80 节尾椎骨。

7. 四肢需要承受巨大的重量。

3. 长长的颈部。
梁龙的颈部至少有 15 节椎骨。

4. 小小的脑袋，这意味着颈
部不必承受太大的压力。

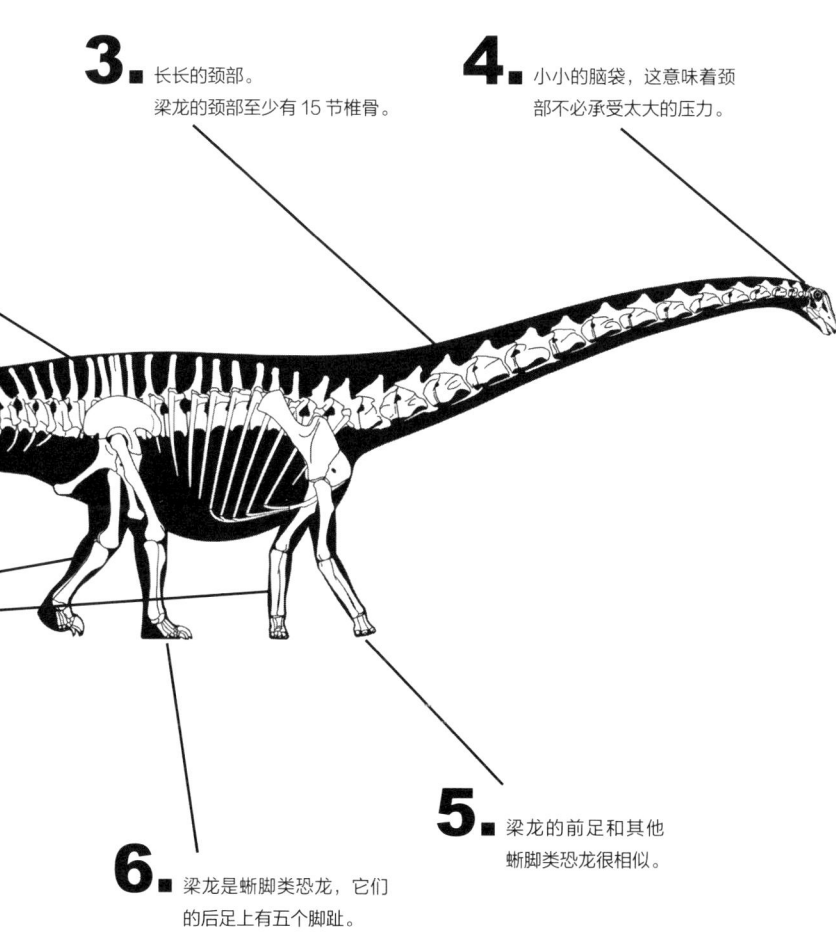

5. 梁龙的前足和其他
蜥脚类恐龙很相似。

6. 梁龙是蜥脚类恐龙，它们
的后足上有五个脚趾。

1. 梁龙有着超长的尾巴，它约有80节尾椎骨，和其他一些蜥脚类恐龙相比，足足多出一倍来。

与梁龙生活在同时期，而且体形也很庞大的圆顶龙只有53节尾椎骨。那为什么梁龙会有这么长的尾巴呢？科学界有各种各样的争论，首先大家一致认为尾巴的作用是保持身体的平衡。但是也有人认为它们的尾巴是用来抵御掠食者的，比如用尾巴抽打异特龙，或者像鞭子一样甩出响声，恐吓敌人，不过科学家对这一作用有争议。因为这样做会对尾巴造成巨大的损伤。虽然找到了一些受到损伤的尾椎骨，但是依然不能让大家信服。你觉得呢？

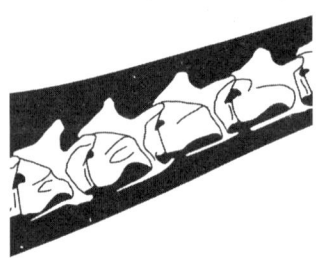

2. 梁龙的椎骨十分脆弱。

即便是颈部巨大的椎骨也不完全是实心的，每个都是中空的，仅仅由板状与柱状构成的网状支撑物连接。这使得它们的椎骨十分轻，所以整个颈部的重量都比较轻。这种结构也使得椎骨中有很多气孔和气囊，方便这种体形庞大的动物呼吸。

3. 长长的颈部。

梁龙颈部有至少15节颈椎骨，而人类只有7节。为了稳固颈部，它的颈椎骨下部长出了一种称作"颈肋骨"的修长的骨头，它们彼此重叠，让颈部更加稳定。

4. 小小的脑袋。

这使得颈部不用承担很多压力。我们虽不能确定，但梁龙有可能是一种比较愚笨的恐龙，因为它的大脑占身体的比例实在太小了。

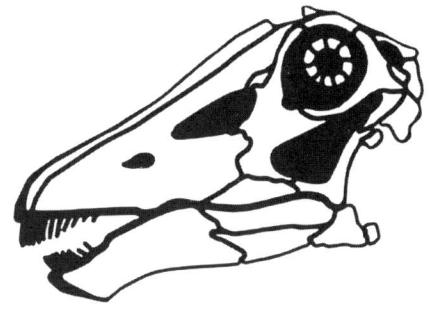

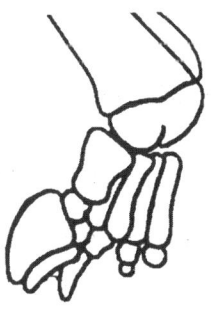

5. 梁龙的前足和其他蜥脚类恐龙很相似。

五个脚趾组合在一起形成了前脚掌，就像马蹄截面。梁龙前脚掌的脚趾尖上没有爪。这种结构十分神奇，科学家们至今还不知道为什么会这样。

6. 作为蜥脚类恐龙之一的梁龙有着和蜥蜴类似的足部结构，后足有五个脚趾。

看起来没什么问题，但是像梁龙那样重达几吨的动物，是非常容易对自己造成损伤的。所以梁龙走路时通常只用脚尖着地。和梁龙一样的其他蜥脚类恐龙都是踮起脚尖走路的。大象也一样，它们的后足上都有着巨大的厚厚的圆形肉垫作为一种缓冲压力的保护器。人类可以用整个脚掌在地面上行走，但是梁龙这种大个头就需要踮起脚尖走路以避免自己的脚掌受伤。

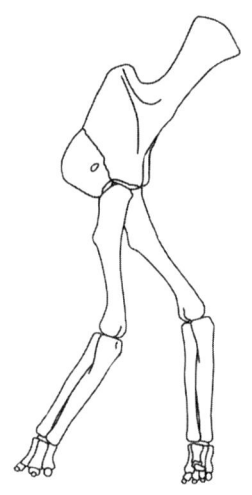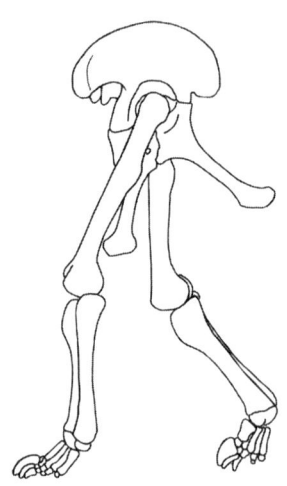

7. 四肢需要承受巨大的重量。

和其他所有巨型蜥脚类恐龙一样，梁龙也需要特殊的四肢结构来支撑超过 15 吨重的身躯，它比巨龙重多了。第一个解决办法就是它们的腿是圆柱形的，和大象的腿一样直上直下，并且位于股骨顶端的球形关节将臀骨和腰带骨连接在一起。这与四肢位于身体两侧的其他爬行类动物有着很大差异。它们的前肢骨也有着特殊结构，它们连接在了一起，即使承受更多重量也不会弯曲。

梁龙的身体

一些科学家认为体形巨大的恐龙每天要摄取足够多的植物才能保持体能，所以它们没时间咀嚼食物。梁龙的眼睛位于脑袋两侧，也就是说双眼的视野重叠区域非常少，所以也不会有很好的立体图像。它们确实也用不上，因为它们不需要像猴子一样在树林间保持身体平衡，也不需要像狼一样捕获猎物。梁龙只需要有尽可能宽的视野，并能使用余光发现天敌就可以。

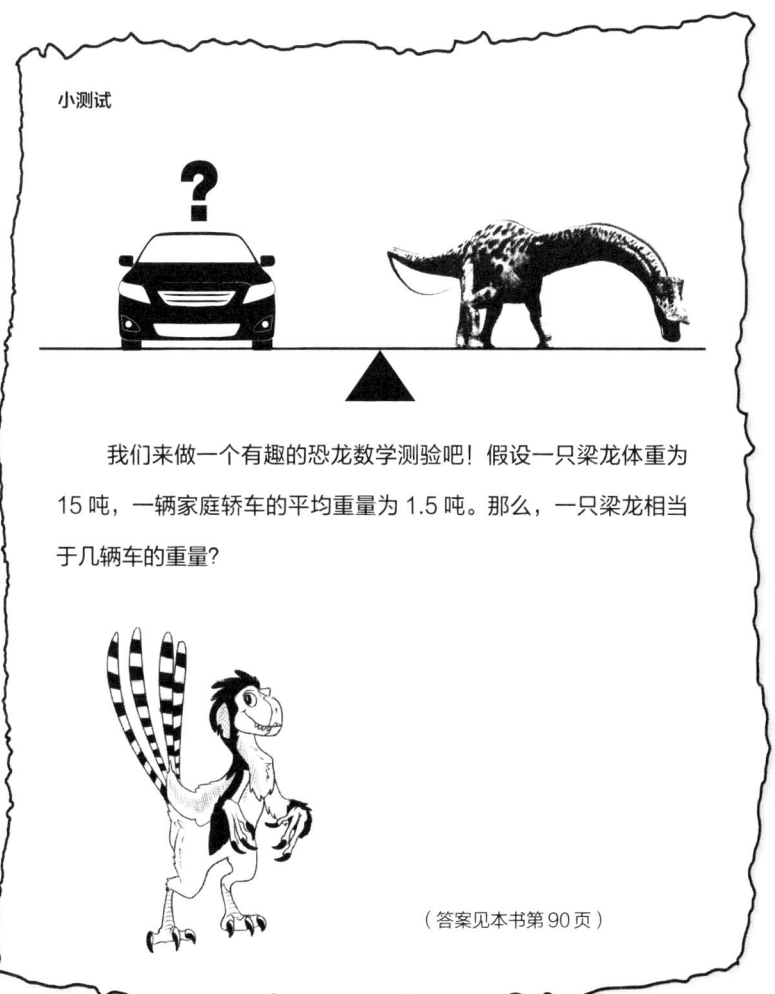

小测试

我们来做一个有趣的恐龙数学测验吧！假设一只梁龙体重为 15 吨，一辆家庭轿车的平均重量为 1.5 吨。那么，一只梁龙相当于几辆车的重量？

（答案见本书第 90 页）

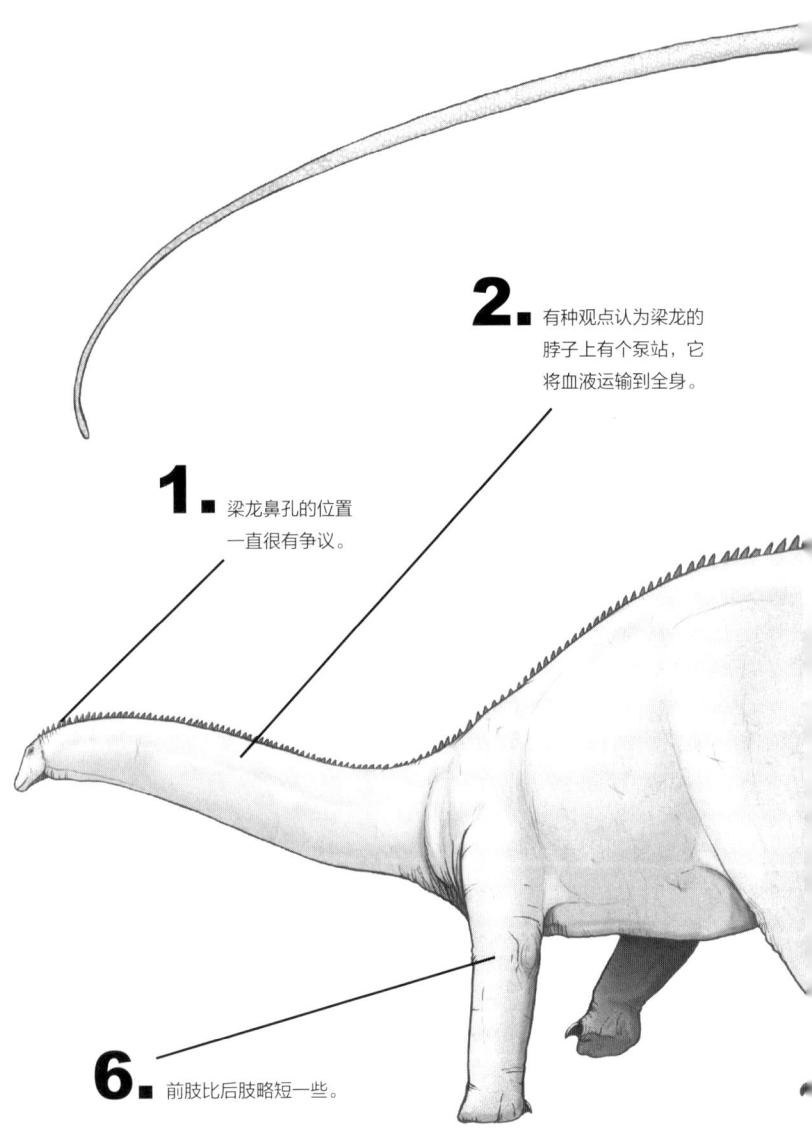

2. 有种观点认为梁龙的脖子上有个泵站，它将血液运输到全身。

1. 梁龙鼻孔的位置一直很有争议。

6. 前肢比后肢略短一些。

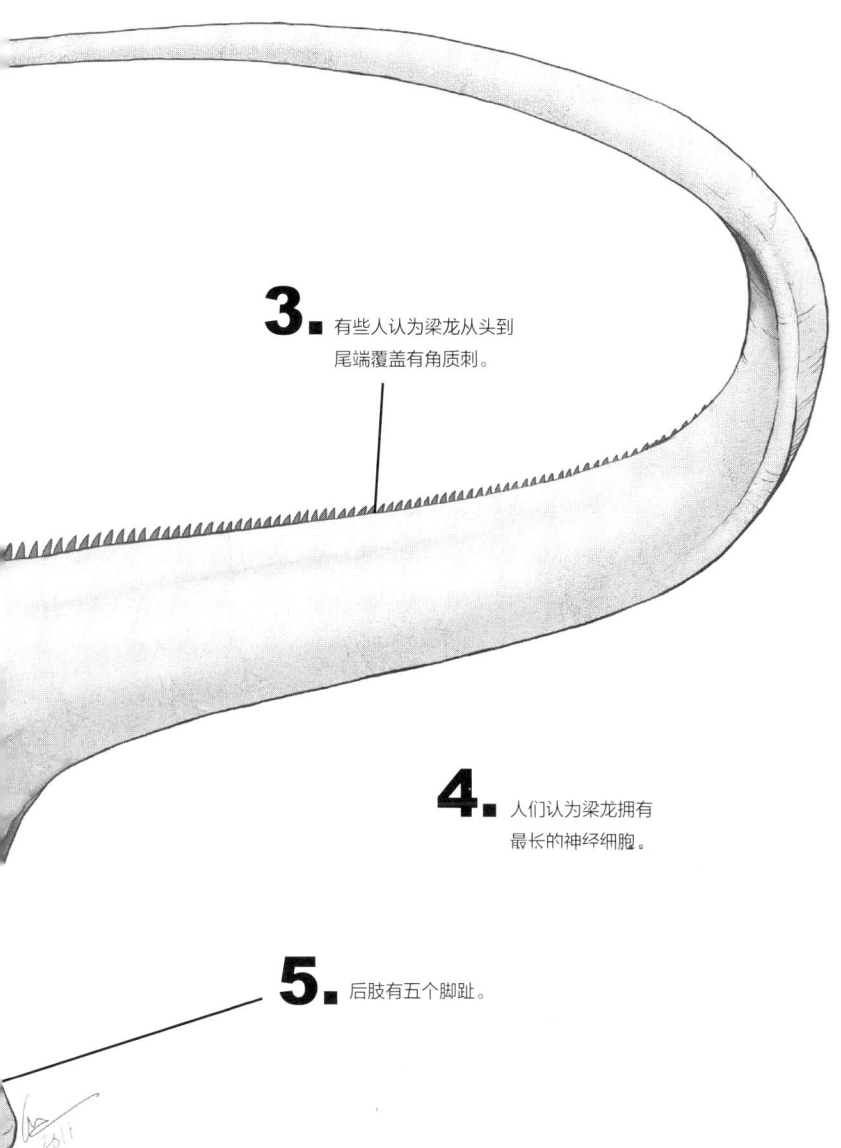

3. 有些人认为梁龙从头到
尾端覆盖有角质刺。

4. 人们认为梁龙拥有
最长的神经细胞。

5. 后肢有五个脚趾。

1. 你的鼻孔在哪里呢？答案当然很简单。但是想知道梁龙的鼻孔在哪里却很难，这已经成为古生物学界最有趣的科学争论之一。

下面是一些科学家给出的不同观点：

a

b

a 起先，人们认为梁龙的鼻孔距离头顶很远。

b 有很长一段时间，科学家们都认为梁龙的鼻孔长在头顶上，因为当时大家认为梁龙是生活在水中的，所以鼻孔长在头骨上方比较容易呼吸。

c 现在我们知道梁龙并不生活在水中，所以一些科学家认为它们的鼻子像大象一样，伸长出来。这种鼻子可以帮助它们卷起枝叶。但是头骨的结构已经容纳不下这样一个多余的长鼻子了。

d 现在大家认为梁龙的鼻子位于头部下面的部位，在嘴巴上面。最终，梁龙鼻子位置的谜题就解决了。

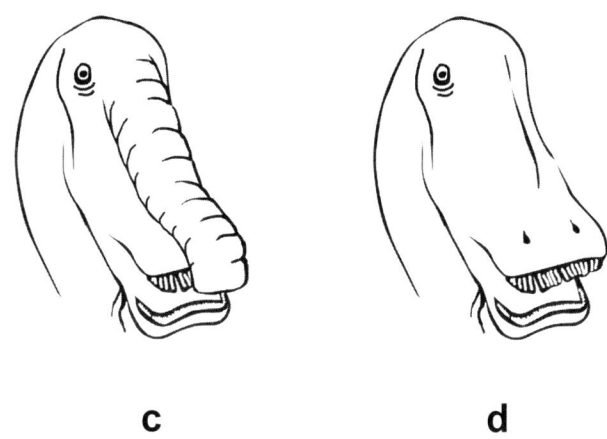

c   **d**

2. 人类的心脏大小大致和拳头一样，或者再稍微大一些。我们清楚地知道人体内含有多少血液以及心脏每分钟、每天、每年甚至一生分别跳动多少次（人类一生心跳约 20 亿次，而一只仓鼠一生心跳 8.4 亿次）但是我们却无法知道梁龙的心脏状况。科学家们一直研究梁龙的心脏有多大，以及它们如何跳动，如何循环血液。一开始，科学家们认为它们的心脏重达 2 吨，比蓝鲸的心脏还要大。但是有如此之大的心脏几乎是不可能的，所以科学家们又想了其他的方案。也许梁龙在颈部有着特殊的泵站，有着心脏的功能，将血液运输到全身。但是目前还没有找到证据，所以科学家们也不知道如此庞大的蜥脚类恐龙是如何进行血液循环的。

3. 我们以前认为像梁龙这样的蜥脚类恐龙的皮肤是由鳞片构成的，表面十分光滑。但是科学家们发现了一些有趣的化石，能帮助我们知道梁龙究竟长什么样子。一块梁龙皮肤遗迹化石向我们展现了梁龙的皮肤结构，一些梁龙长长的尾巴上覆盖着角质刺，一种和犀牛角、指甲、头发等相同的材质。这种角质刺也许仅仅覆盖在尾巴上，但是也可能是从头到尾巴末端。这种刺长达 18 厘米，同时能够保护皮肤。平整的鳞片保护了蜥脚类恐龙，可防止它们受到天敌的攻击或者避免同类之间打斗造成的伤害。

4. 我们认为像梁龙这种巨型蜥脚类恐龙有最长的神经细胞，有的甚至能从头部一直生长到尾部。如果你碰一下脚趾，立刻就会感觉到，用时不到百万分之一秒。虽然有些粗鲁，但是你如果拉一下梁龙的尾巴，神经信号传输距离太远，它可能需要 1 秒到 2 秒才能反应过来。

5. 梁龙的后足仅仅有五个脚趾，却承受着巨大的重量。一些科学家认为梁龙的脚掌和陆龟很相似，脚趾是彼此分开的；另外一些科学家认为梁龙的脚趾是并拢的，组成一个巨大的厚脚掌，这有助于它缓冲身体的重压，还能防滑。

6.

前肢比后肢稍微短一些，说明梁龙几乎是以水平的姿势站立的。

我们并不知道梁龙的神经细胞是如何运作的。梁龙体内是密集地布满了神经末梢和感受器，还是稀松地分散着？哪种会让梁龙的反应更快呢？和人类一样，梁龙也许会有一些地方非常敏感。找一个人，你闭上双眼，然后让对方用两支筷子同时触碰你的指尖，

你能感受到筷子的个数吗？再用同样的方法触碰你的后背。你能感受到几支筷子？如果两次的感知不一样，说明指尖和背部分布有不同的末梢神经。现在将筷子再分开一些，去触碰背后，看看分开到什么距离，你才能同时感觉到两根筷子。

第五章

恐龙地盘

栖息地与生态系统

侏罗纪晚期，是恐龙种类大爆发的时期，梁龙就生活在这个时期的地球大陆上（1.557 亿到 1.508 亿年前）。事实上，在发现梁龙化石的北美洲，尤其是美国的科罗拉多州、蒙大拿州、犹他州、怀俄明

州以及南方的新墨西哥州、俄克拉何马州、南达科他州以及得克萨斯州等地区发现的化石，比世界其他地方都要多。梁龙生活的时期还有其他各种恐龙，比如异特龙，它是这个时期顶级的掠食者。异特龙化石占兽脚类化石的 70%，可谓遍布各个角落。

侏罗纪中期的环境炎热干燥，但是到了晚期，一切都发生了改变。环境非常潮湿，更像是热带气候。因此植物的种类发生了巨大的变化。一种外形酷似棕榈树的植物苏铁、松树这样的针叶树、银杏树、蕨类植物、南洋杉等，都有可能成为梁龙的盘中餐。

目前还不能百分之百确定梁龙到底吃什么，但是通过它们牙齿的形状可以推断它们的饮食习惯。科学家们对于梁龙如何保持头部姿态有非常多的争论……它们可以将脖子高高地扬起来吗？还是只能保持水平姿态？即使我们弄明白这些，也依然不知道它们是去吃长在很高的智利南洋杉树冠上的叶子，还是低头食取地上的矮小植物的叶子。我们知道梁龙可以仅用后足站立，这也许能帮助它们吃到更高的树叶。

化石总是发现于一种特定的沉积物中。一些沉积层很薄，另一些则很厚，时间跨度达到上百万年。梁龙的化石发现于莫里逊组地层，它位于北美洲，距今有 1.54 亿到 1.52 亿年。梁龙是这个时期生活在这片大陆上最常见的恐龙。莫里逊组地层也是蜥脚类恐龙化石的大本营，大量的巨型植食性蜥脚类恐龙在这组地层中被发现，表明它们生活在同一时期，目前发现了以下一些蜥脚类恐龙的种类：

迷惑龙　　　　　　　　　　　雷龙

重斋龙　　　　　　　　　　　圆顶龙

腕龙

　　当然，侏罗纪晚期不可能仅仅有蜥脚类恐龙这一种，还有其他一些

不是那么知名的恐龙，请看下面：

异特龙

阿马加龙

弯龙

角鼻龙

橡树龙

怪嘴龙

剖齿龙

嗜鸟龙

奥斯尼尔龙　　　　　剑龙

史托龙　　　　　蛮龙

　　如果你幸运地找到了梁龙的骨骼化石，那也擦亮眼睛，找找看是否能发现同时期以下恐龙的骨骼化石吧：

迷惑龙　　　　　异特龙

圆顶龙　　　　　剑龙

小测试

你真的了解恐龙吗?

· 梁龙生活在什么年代?

· 梁龙的尾巴有多少节尾椎骨?

· 说出一种梁龙近亲的名字?

· 梁龙体重是多少?

· 侏罗纪晚期的气候如何?

（答案见本书第 91 页）

科学前沿：

新发现的巨型恐龙

除了鸟类，其他的恐龙在6600万年前都灭绝了。但令人不可思议的是，恐龙家族却仍越来越壮大。这可不是说仅有一些小恐龙被发现。近期，一系列新的大型蜥脚类恐龙也被发现了，加入了著名的梁龙、腕龙、阿根廷龙、无畏龙的大家庭。

虽然蜥脚类恐龙数量庞大，几乎占据我们目前知道的所有恐龙种类（不包括现代恐龙，即鸟类）的四分之一，但我们依然还不够了解它们。

蜥脚类恐龙的骨骼非常巨大，但是它们的化石却十分脆弱易碎。我们人类的骨骼是致密的，里面充满了海绵状骨髓，但像梁龙这类蜥脚类恐龙的骨骼却很不一样，它们的更像鸟类。许多人称这种骨骼为中空的骨骼，实际上不是中空的，里面充满了空气并且有网状结构支撑。这有很大的区别。

在发掘化石过程中，这些经过成千上万年地质作用的化石极易发生破损和扭曲，尤其是长长的颈部骨骼化石往往会下落不明。即使是非常强健的骨骼，在数百吨重的岩石压数百万年后，也非常容易成为碎片。

因为蜥脚类恐龙的骨骼化石容易遗失，所以每发现一块新的化石，对于复原这种巨大的恐龙来说都会起到巨大作用。你能想象古生物学家发现四种蜥脚类恐龙的新化石时（本书撰写前刚发现）有多么兴奋吗？这四个新种分别是斯氏腾格里龙、当帕里蜷神龙、犹他莫阿布龙以及佩氏需盉龙，它们都十分炫酷。

有时候新发现往往来源于旧的研究，蜷神龙就是一个很好的例子。它们的骨骼化石于1934年就被发现，但是最近几年科学家们才意识到它们是一种新的蜥脚类恐龙。一开始，它被分类到腕龙属中。在非洲、北美洲、南美洲发现了大批量的蜷神龙化石，也许能从它们身上找到这种恐龙在当时发展盛行的原因。

有时候，仅仅几块骨骼化石就能知道它是不是新的种属，蜥脚类恐龙就是这样。因为像尾椎这样奇特的骨骼，只需要很少几块，就足以辨别出恐龙的种类。斯氏腾格里龙就是一个新品种，它不仅仅是蜥脚类恐龙，而且是一种体形巨大的巨龙类恐龙。白垩纪伊始，大部分蜥脚类恐龙都灭绝了，但是巨龙类恐龙却繁衍壮大，所以这时期到处都是这种体形巨大的恐龙。新发现的斯氏腾格里龙就是由第一只巨龙演化而来的，虽然没找到多少化石，但是依然能够告诉我们巨龙类恐龙是如何进化的。

科学家们发现了同时期另一种的大型蜥脚类恐龙——莫阿布，它的化石的多达5500块。这些化石来自不止一只莫阿布龙，却没有发现一套完整的骨骼化石。如果有很多骨骼化石，科学家就能拼凑出莫阿布龙。尽管庞杂的化石碎片拼接起来非常困难，只能以巨龙为原型进行拼接。但是莫阿布龙能帮助我们更好地理解白垩纪早期巨型植食性龙的生活。

下图中这副骨架由不同恐龙的骨架拼接而成，因为科学家仍未找到一具完整的骨架。这样的化石骨架称作"混合骨架"。

需盔龙于2015年首次被命名，并且归为新的类群，随后另一种也被发现，叫作佩氏需盔龙，这两种新发现的恐龙是梁龙的近亲，

生活在侏罗纪晚期。与梁龙不同的是，科学家们已经找到需盔龙的头骨化石，这听起来不错，但有着大量的未解之谜。其中一个就是这具骨架像是年老和年轻恐龙的组合体，这意味着我们还要更多探索。

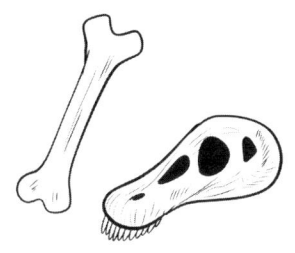

　　发现永远很重要，科学家们复原的不仅仅是蜥脚类恐龙的一个品种，而是一个种群，一群生活在不同年代和环境的生物。谨记，研究恐龙就像是拼图一样，每种恐龙的发现过程都像一个复杂的拼图游戏，每一点小发现都能帮助我们。你能想象我们还会发掘多少庞然大物吗？

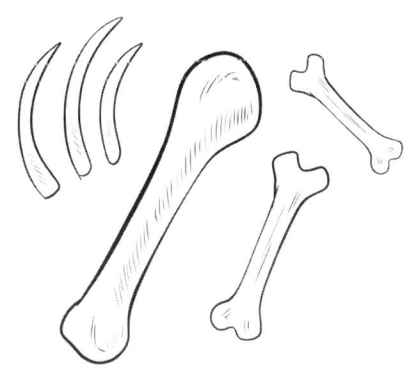

第六章

恐龙快闪

进化军备竞赛

多种因素推动着演化，导致物种改变。可能是栖息环境，比如说炽热的沙漠和骆驼，或者是捕食方式，比如食蚁兽的长鼻子和长舌头。但是在这里我们更关注掠食者和被捕食者的斗争，我们把它叫作进化军备竞赛。

有时候，进化军备竞赛其实是看哪一种动物更狡猾。在印度洋的一个珊瑚礁上，两个物种深陷在一个非常古怪的进化军备竞赛中。隆头鱼（又名清洁鱼）是一种蓝黄相间、身体上有一条长长的黑色光带的小鱼。这种颜色鲜艳的小鱼仅有成年人手指大小，会跳一种特殊的舞蹈。因此在珊瑚礁附近，它能够靠近像鲶鱼这样体形较大的鱼，为它们清除身上的寄生虫，甚至为它们清理牙齿。

　　某种程度上，掠食者的进化是为了提升捕食猎物的概率，而被捕食者进化是为了降低成为对方午餐的概率。所以一轮一轮地，掠食者一次次地在进化中提高自己成功的概率。这是永不停息的，每一个物种都在朝着对自己最有利的方向发展。

　　另一种生活在珊瑚礁的小鱼叫作三带盾齿鳚，它长得与上述的小鱼很相似，除了一样东西——它有一对延伸到头骨上方的巨大牙齿。在进化军备竞赛中，经过小小的进化，三带盾齿鳚看起来与清洁工隆头鱼非常相似，甚至会和隆头鱼跳一样的舞蹈。而它靠近大鱼的目的是从那里分得食物。由于它进化得十分像清洁工隆头鱼，因此得到了大鱼充分的信任。

战斗开始

在侏罗纪的一个暴风雨夜，我们即将看到一个为自己的生命而战的梁龙。在海滩前方、高潮线之上，是一片空地，在这片空地上有广阔的森林，旁边有一条宽阔的浅河，一群梁龙生活在这里。20多只巨大的梁龙站在一起，在树林中摇摆着它们长长的脖子，用嘴巴拉扯着树枝，食取上面柔软的树叶。

这个种群由一只成年雌性恐龙和它的姐妹以及阿姨领导，它们保护着五只小恐龙。小恐龙们只有几岁，但已经像大象一样高，和公交车一样长。这些雌性恐龙围着小家伙们站成一个圈，避免它们到掠食者的任何伤害。暴风雨击打着海岸，这些梁龙蜷缩在一起，让它们的脑袋避免风吹雨打。所有声音都被淹没在暴风雨中，倾盆大雨中也无法看清周围。

但就在森林的边缘巨大的绿色蕨类植物之间，埋伏着一只巨型的异特龙。它跟踪这群梁龙两天了，一直在等待捕食的机会。

有时，异特龙会组成小群结伴捕猎，但在那场捕食剑龙的恶战之后（详见本套书《剑龙》），它

便离开了自己的队伍，独自狩猎了。

它的一双大眼睛向前盯着隐藏在树林中的

这群梁龙。异特龙的体重是成年梁龙的百分之一，

它知道自己必须等待，直到有机会捕捉到比较弱小的幼

崽。就在那时，它盯上了一只落单的梁龙。

在浅浅的河床上，一只年老的雌性梁龙在河岸上休息，躲避着猛烈的风。它与其他梁龙分开了，梁龙群看不到它，但是异特龙却一直监视着它。异特龙迈开双腿，向它走来。异特龙压低身子跑起来，低着头准备攻击这头年迈的梁龙。

异特龙从河堤上跳了下来，扑到了梁龙身上，把锋利的爪子插进梁龙巨人的灰色脊背。异特龙的爪子切的伤门很深，但是不长，因为梁龙皮肤下像盔甲一样的骨骼能够避免它们受到太致命的伤害。

年老的梁龙快速地扭动身体，把异特龙甩了下去，异特龙又移到梁龙身边，准备咬它那又大又软的肚子。异特龙知道，如果引起其他梁龙注意，它们将冲过来去保护这只落单的年迈梁龙，所以必须迅速杀死它

才行。异特龙移动起来比那只又老又大的梁龙快

多了。梁龙巨大的脚跺在地上，警告异特龙不要

靠近。它接着转动身体，用巨大的尾巴从空中猛

烈地抽向异特龙。它们都知道，要是被那条

长长的、肌肉发达的尾巴打到，一

定是致命一击。梁龙一遍

又一遍抽打，以至于它

的尾骨都断裂了。

异特龙快速移动，躲闪着梁龙的尾巴。它咬住了

梁龙的大腿，用它那像斧头一样的脑袋砰的一声插进了梁龙的

肌肉里，密集的如锯齿般锋利的牙齿咬进年迈的梁龙肉里，它痛苦地悲

鸣着。

几颗牙齿嵌入这只老梁龙的腿里之后，异特龙松开了嘴。现在，梁

龙已经受伤了，异特龙希望能尽快地杀死它，于是跑向它的头部。通常

异特龙不会冒险攻击成年的巨大蜥脚类恐龙，但这次，这只异特龙可能

太幸运了。

当这只巨大的掠食者瞄准梁龙脆弱的颈部时，它抬头发现了那群梁龙。它们在已经受伤的老梁龙的呼喊下，急忙赶来救援。这一刻，异特龙放弃了，转身就要离开这只年老的雌性梁龙。

这只重达 15 吨的老梁龙靠自己的后腿站立起来，高高耸立在异特龙面前，它用受伤的尾巴支撑自己，弓身扑向这只刚刚攻击它的异特龙。它巨大的脚掌踩在了异特龙的背上，瞬间就杀死了这只异特龙。

年老的雌性梁龙把异特龙破碎的尸体踢到一边，愤怒地、大声地吼着，使劲挥舞着虽然疼痛但仍然灵活的巨大尾巴。

它慢慢地跟上了梁龙队伍，在暴风雨中继续前行，把这只因为不自量力而惨死的可怜受害者，这只被踩死的异特龙，留在了泥潭中。

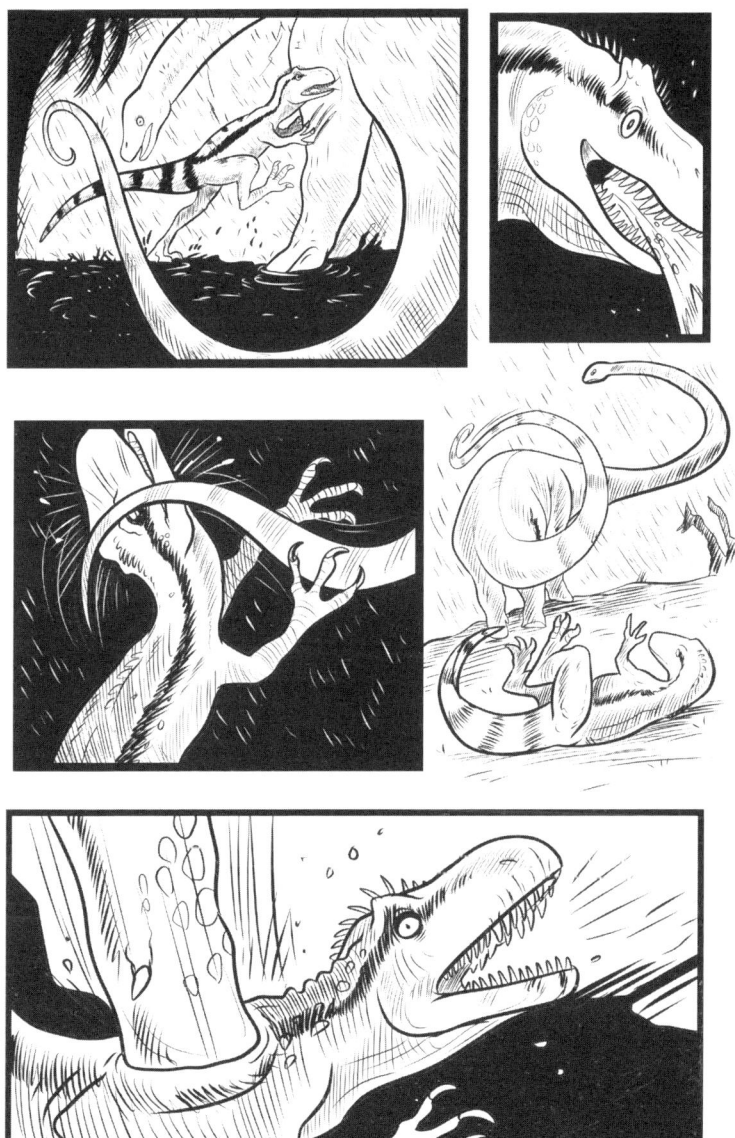

梁龙

异特龙	
速 度	8
平均体重（吨）	4
灵活性	7
武 器（牙齿、角）	8

梁 龙	
速 度	2
平均体重（吨）	9
灵活性	2
武 器（牙齿、角）	5

实操训练：
化石发掘者

我们都想找到一个惊人的恐龙新物种化石骨架。但是首先你需要了解化石是如何形成的，这样将有助于让你知道在哪里寻找，以及如何保存你所找到的化石。那么化石是如何形成的？化石形成有几种不同的方式，下面是一种最常见的化石形成方式：

1. 动物死后，沉到海床并且被沉积物掩埋。

海洋动物死亡后，就沉入海底。所有软体组织会腐烂，只留下骨骼。骨骼很快被泥沙完全掩埋。这就使海洋环境成为创造化石的绝佳场所，这也是为什么海洋化石如此常见的原因。

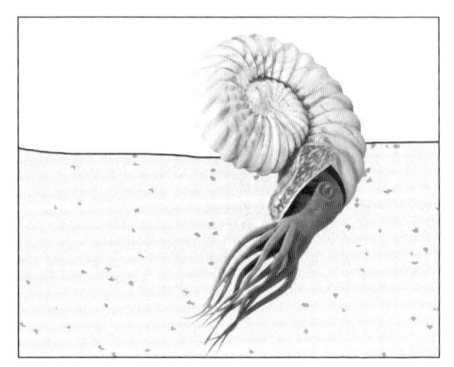

2. 随着时间推移，骨骼周围的沉积物变硬。

数万年来，越来越多的沉积物堆积在骨头之上。随着海床厚度的不断增加，骨骼周围的压力也随之增加。沉积物开始变硬，变成岩石。

3. 骨骼溶解，并形成一个化石模子

随着骨骼周围的沉积物变得坚硬，地下有腐蚀性的矿物质替换了骨骼本身，在沉积物中留下一个"空洞"。这个"印模"是原始骨骼的完美印记。

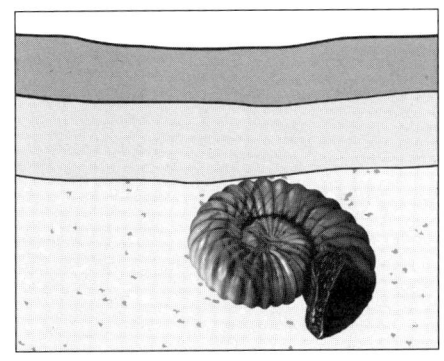

4. 矿物质富集填充模子，产生化石

地下水富含矿物质，渗入印模并填充空腔。这些矿物质留在模子中，形成完美的铸体。这个铸体与原骨骼形状相同，却没有其内部特征。另外有一些化石是富含矿物质的地下水溶解了骨骼

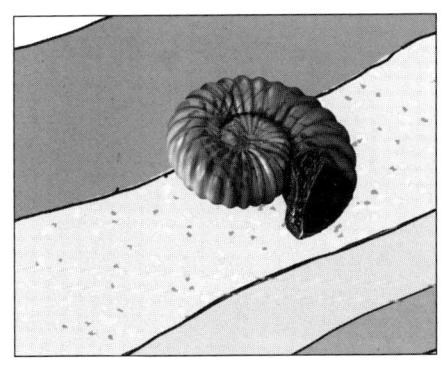

并在那里生成了新的矿物质后产生的，这种化石的骨骼内部结构都会被保存下来。

5. 化石裸露出来

几百万年之后，海洋退去后，曾经在海底的东西裸露出在地表。泥沙被风和雨逐渐侵蚀，最终，上面的地层被移除，化石逐渐靠近地表，等着被发现。

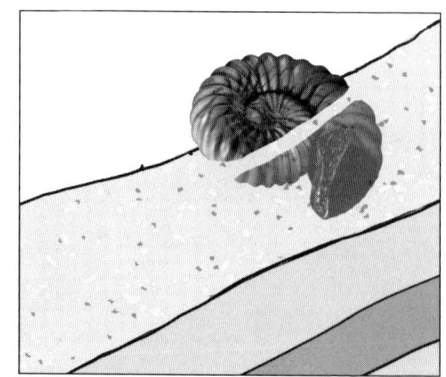

虽然这是一种常见的化石形成方式，但它并不只发生在海底。许多动物在陆地上也会被河流或湖泊的沙子或柔软的泥质沉积物覆盖，变成化石。

现在我们知道什么是化石了。既然史前时期有这么多动植物，那么我们为什么每次在公园散步或在海滩闲逛时却无法随处找到数百个化石呢？

　　这是因为只有恰到好处的沉积环境才能形成化石。动物只有在某些特定条件下腐败才能增加形成化石的概率，缺氧环境就是其中一个条件，比如当动物沉入海底的淤泥沉积物中，或被沙尘暴快速掩埋的时候。

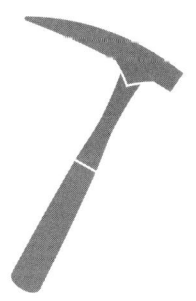

小测试答案

第 28 页

· **最大的梁龙有多长？**

长达 32 米。

· **梁龙吃什么？**

植物。

· **第一个梁龙化石什么时候被发现的？**

1877 年。

· **哈氏梁龙最初叫什么？**

地震龙。

第 53 页

十辆车。

第 68 页

· **梁龙生活在什么年代？**

  接近侏罗纪时期的末期。

· **梁龙的尾巴有多少节尾椎骨？**

  大约 80 节。

· **说出一种梁龙近亲的名称？**

  薇薇安超龙或哈氏需盔龙。

· **梁龙的体重是多少？**

  约 15 吨。

· **侏罗纪晚期的气候如何？**

  炎热潮湿。

专业词汇表

巩固你的记忆。

南洋杉：

南洋杉是学名，又称为"猴谜树"。树木高大，其长长的树枝由三角形状、穗状的叶子组成。（见本书第 64 页。此页为该词首次出现处，余同）

双孔亚纲：

指的是有"两个弓形结构"。这类动物的头骨后部有两个颞孔隐藏在眼睛后面。双孔亚纲包括蜥蜴、蛇、乌龟、海龟、鳄鱼、恐龙和鸟类。一些双孔亚纲已失去其中一个颞孔（如蜥蜴），或失去两个颞孔（如海龟、乌龟和蛇）。另外一些动物，如鸟类，虽然看起来跟其他双孔亚纲很不一样，但依然是双孔亚纲，这个特征能说明鸟类是如何的起源。（见本书第 11 页）

梁龙科：

包括梁龙、重龙和需盉龙等。与其他蜥脚类恐龙相比，这些蜥脚类恐龙更瘦，但它们的身体都很长。它们的四肢相当短，但后肢比前肢长。（见本书第 22 页）

梁龙类：

这个名字可以用来谈论梁龙科中的任何物种。（见本书第 25 页）

上突：

外观像骨质小翅膀，被发现于恐龙颈椎中。（见本书第 13 页）

腓骨：

位于胫骨旁，并与胫骨的近、远端相接触。它是后肢的三块大骨头中最细的一块。（见本书第 12 页）

鸟臀目：

鸟臀目恐龙的腰带骨看起来与鸟类相似，尽管它们与鸟类并没有真正的相关性。这是一个涵盖广泛的类群，包括角龙类恐龙（如三角龙），装甲龙类恐龙（如剑龙）和鸭嘴龙类恐龙（如鸭嘴龙）。它们大多数是植食性恐龙。（见本书第 21 页）

蜥臀目：

蜥臀目恐龙的腰带骨看起来与蜥蜴的腰带骨相似。包括兽脚类、蜥脚类和鸟类。（见本书第 20 页）

蜥脚类：

这类恐龙有长长的尾巴和长长的脖子。它们的头很小（相对它们身体的大小来说），四肢大而直。其中的一些蜥脚类恐龙体形巨大，

是有史以来陆地上最大的动物。（见本书第 18 页）

单孔亚纲：

指的是有"融合的弓形结构"。这类动物头骨后部有一个颞孔，隐藏在眼睛后面。人类和所有其他的哺乳动物都是单孔亚纲。它们是一些与哺乳动物有亲缘关系的、现在已经灭绝的早期动物类群。（见本书第 11 页）

巨龙：

它们是超大型的蜥脚类恐龙，其中包括无畏龙和阿根廷龙，大多常见于白垩纪。（见本书第 19 页）

兽脚类：

兽脚类恐龙是双足肉食性恐龙。后来也出现了杂食性甚至植食性的兽脚类恐龙。现今的鸟类，是仅存的兽脚类恐龙。（见本书第 19 页）

图片来源：

Adobestock：1, 2, 3, 30, 36~37, 41, 66, 67, 79, 80, 81, 92, 93, 94, 98, 100,101,103.Depositphotos：1, 2, 3, 16, 17, 18, 25, 26~27, 28, 34, 35, 66, 67, 79, 81, 83.Ethan Kocak：5、6、9、11、15、19, 22, 23, 29, 42, 43, 44, 46, 49, 50, 52~53, 54, 55, 57, 58, 67, 74, 75, 82, 83, 86, 87, 89, 90, 96, 99, 105, 107, 113. Gabriel Ugueto：68~69.   Scott Hartman：20~21, 38, 39, 48, 56, 58, 61, 62~63, 64~65, 66.

* 上述图片来源与原版书所有信息一致。

古艺术家斯科特·哈特曼的说明：

　　我画的梁龙骨骼原型来自美国著名的卡内基博物馆编号为 CM 84 的梁龙化石标本。它是从现在的犹他州国家恐龙保护区中挖掘出来的，它或许是世界上最著名的骨架，因为它是 20 世纪初送给各个国家博物馆的梁龙骨架模型的原型。它相对完整，但是尾巴我参考了其他标本。